Skie bien, Adrien !

Illustré par Mireille Delon-Boltz

Bordas

Avec la collaboration de :
Marie-Christine Hagopian, institutrice en
maternelle ; Anne Banckaërt.
Maquette intérieure et de couverture :
Insolencre.

© Bordas, Paris, 1990
ISBN 2-04-019027-9
Dépôt légal : février 1990

Achevé d'imprimer en janvier 1990
Imprimerie H. PROOST, Turnhout, Belgique

– Bonjour les enfants, je suis Vava, votre monitrice. Allons vite ranger vos affaires. Ensuite, on ira se promener !

Lequel se trouve sur le bonnet ?

Regarde bien et cherche dans l'image :

- un berger
- un chalet
- des montagnes
- un pompon
- du verglas

5

– Tu crois qu'il va neiger ? demande Adrien.
– Oui, ne t'inquiète pas : on fera du ski,
de la luge, et même une promenade
en raquettes !

Combien y a-t-il de chamois ?

Regarde bien et cherche dans l'image :

- des chamois
- un glacier
- une vallée
- un pont
- un torrent

7

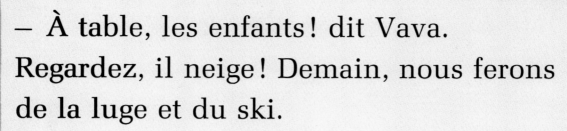

– À table, les enfants ! dit Vava.
Regardez, il neige ! Demain, nous ferons
de la luge et du ski.

Regarde bien et cherche dans l'image :

- un bonhomme de neige
- des flocons
- un piolet
- du fromage
- du pain

Lesquels se mangent ?

9

– Aïe ! Attends-moi , Adrien ! s'écrie Fifi.

Regarde bien et cherche dans l'image:

- un chasse-neige
- une cheminée
- un téléphérique
- un refuge
- des skieurs

11

Pendant la sieste, Adrien s'entraîne dans sa chambre...
– Hou là là ! C'est difficile !

Avec lequel part-on en voyage ?

Regarde bien et cherche dans l'image :

- une cascade
- de la glace
- une marmotte
- un rocher
- une valise

— Vous êtes prêts? demande Vava.
Suivez-moi, nous prenons la piste verte!

Lesquels sont verts?

Regarde bien et cherche dans l'image :

- des bâtons
- des casques
- une combinaison
- des sapins
- des skis

15

— Tu vois Vava ? demande Adrien.
— On est perdus ! J'ai peur, pleure Fifi.

Regarde bien et cherche dans l'image :

- un câble
- un deltaplane
- un télésiège
- une piste
- des pylônes

Lequel a des ailes ?

17

— Bravo Fifi ! s'écrie Adrien.

— Aïe ! j'ai mal ! hurle Fifi.

— Allez ! dit Vava. On rentre au chalet.

Il faut être en forme, demain.

Regarde bien et cherche dans l'image :

- une avalanche
- des bosses
- un tire-fesses
- un hélicoptère
- un monoski

19

— Adrien, que fais-tu avec ma ceinture ?

— Je m'entraîne ! Tu sais bien que demain, après la compétition, on fait la promenade en raquettes !

Regarde bien et cherche dans l'image :

- des après-ski
- une armoire à glace
- un pansement
- un fuseau
- un ours

21

— Allez, Adrien ! crient les enfants.
— Fifi, ça va être à toi, dit Vava.
— Déjà ? ronchonne Fifi.

Lequel a un numéro ?

Regarde bien et cherche dans l'image :

- un dossard
- un filet
- des piquets
- un slalom
- un tremplin

23

– Chic, on a tous une médaille ! dit Fifi.

– Allez, les enfants, en route pour le déjeuner. Après, on part en raquettes !

– Youpi !

Regarde bien et cherche dans l'image :

- des drapeaux
- un haut-parleur
- des médailles
- un podium
- un vainqueur

Lequel est à gauche ?

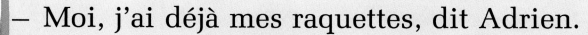

— Moi, j'ai déjà mes raquettes, dit Adrien.

— Tu n'iras pas très loin avec ces raquettes de ping-pong, répond Vava en riant. Voici de vraies raquettes !

Quel est celui que porte le gros chien?

Regarde bien et cherche dans l'image:

- des béquilles
- des bûches
- un plâtre
- des raquettes
- un tonneau

– Au revoir, les enfants, dit Vava.
Adrien, j'ai un petit cadeau pour toi...
– Qu'est-ce que c'est?
– DES RAQUETTES! crient les enfants.

Lesquelles fondront cet été ?

Regarde bien et cherche dans l'image :

- un aigle
- des boules de neige
- des chaînes
- de la fumée
- des sommets

29

As-tu trouvé ?
Alors bravo !
Vérifie vite,
on ne sait jamais...

8 **9**

du fromage
du pain

4 **5**

un pompon

10 **11**

une cheminée

6 **7**

trois

12 **13**

une valise

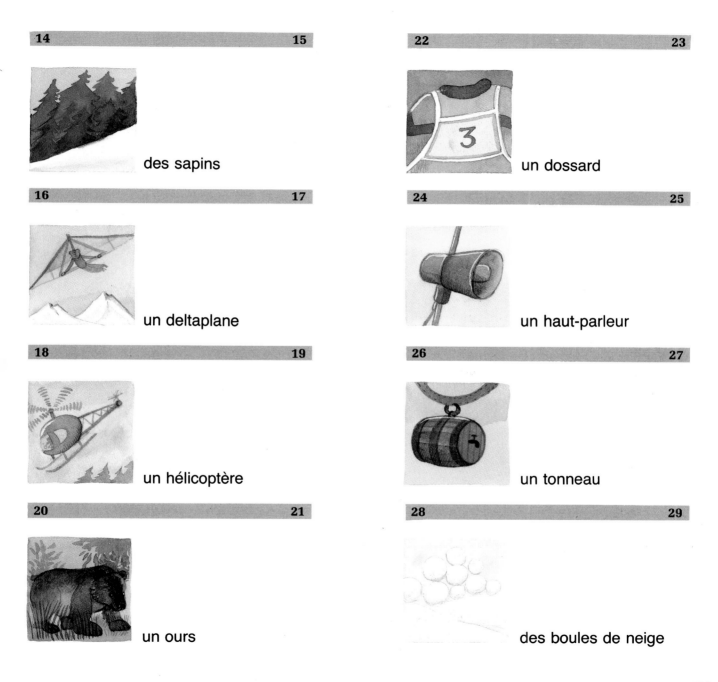

14 **15**

des sapins

16 **17**

un deltaplane

18 **19**

un hélicoptère

20 **21**

un ours

22 **23**

un dossard

24 **25**

un haut-parleur

26 **27**

un tonneau

28 **29**

des boules de neige

PRINTED IN BELGIUM BY

INTERNATIONAL BOOK PRODUCTION